UN MONDE

EN

PÂTE À MODELER

Barbara Reid

Texte français d'Isabelle Allard

Les éditions Scholastic

Pour Ian, Zoe et Tara — BR

Rédaction de Valerie Wyatt

Conception graphique de Karen Powers

Édition publiée par Les éditions Scholastic,
175 Hillmount Road, Markham (Ontario) L6C 1Z7
avec la permission de Kids Can Press Ltd.

5 4 3 2 1   Imprimé à Hong-Kong   01 02 03 04

Données de catalogage avant publication (Canada)

Reid, Barbara, 1957-
  Un monde en pâte à modeler

(Artisanat)
Traduction de : Fun with modeling clay.
ISBN 0-439-98633-8

1. Modelage – Ouvrages pour la jeunesse. I. Allard, Isabelle. II. Titre.
III. Collection.

TT916.R45514 2001   j731.4'2   C00-932765-7

Table des matières

La pâte à modeler

Qu'aimerais-tu faire? Un dinosaure à deux têtes? Une affreuse sorcière verte? Un peu de pâte à modeler et beaucoup d'imagination, c'est tout ce qu'il te faut pour façonner des personnages, des objets et des tableaux magnifiques, drôles ou complètement farfelus.

Il existe de nombreuses sortes de pâte à modeler. Certaines sont à base d'eau et risquent de s'assécher si on les laisse à l'air. D'autres doivent être cuites pour conserver une forme permanente. Les suggestions contenues dans ce livre donneront de meilleurs résultats si on utilise de la pâte à modeler de type huileux et malléable qui ne durcit pas, même si on n'y touche pas pendant un an. On trouve dans les magasins de jouets et de matériel d'artiste plusieurs marques de pâte à modeler, dont Plasticine, Plastolina, Klean Klay et Plasticolor.

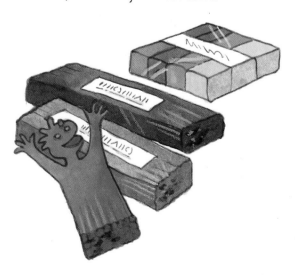

OUTILS

UNE PLANCHE

Tu as besoin d'une surface lisse et dure pour travailler. Comme la pâte à modeler est huileuse, ne t'en sers pas sur une surface qu'elle risque d'endommager. Les tables de cuisine constituent souvent d'excellentes surfaces. Tu peux aussi essayer de dénicher un panneau de masonite ou de carton à dessiner (un type de carton rigide vendu dans les magasins de matériel d'artiste).

UN COUTEAU

La pâte à modeler étant très malléable, tu n'as pas besoin d'un couteau coupant. Une lime ou une règle suffisent pour découper les formes désirées.

DES CRAYONS À MINE

La pointe d'un crayon à mine est très utile pour parsemer une surface de petits points ou produire toutes sortes de textures. Tu peux faire rouler un crayon de forme ronde sur la pâte pour l'aplatir.

FILS DE FER, TROMBONES, CURE-DENTS

Ces objets sont très pratiques pour découper, percer et sculpter la pâte à modeler. Tu peux aussi enfoncer des morceaux de cure-dents dans des formes fines et allongées afin de les renforcer.

TES MAINS

Ce sont sûrement tes outils les plus utiles! Elles réchauffent la pâte et la rendent facile à façonner. Les ongles peuvent couper la pâte, y tracer de petites lignes incurvées ou imprimer des textures sur toute la surface.

OUTILS POUR EFFETS SPÉCIAUX

Utilise un peigne, un presse-ail, une brosse à dents ou des bouts de tissu pour produire des effets spéciaux sensationnels. Assure-toi d'abord que le propriétaire de ces objets accepte de te les prêter (la pâte à modeler est parfois très difficile à enlever).

Fais preuve d'imagination et tu dénicheras toutes sortes d'objets qui s'ajouteront à ta trousse à outils.

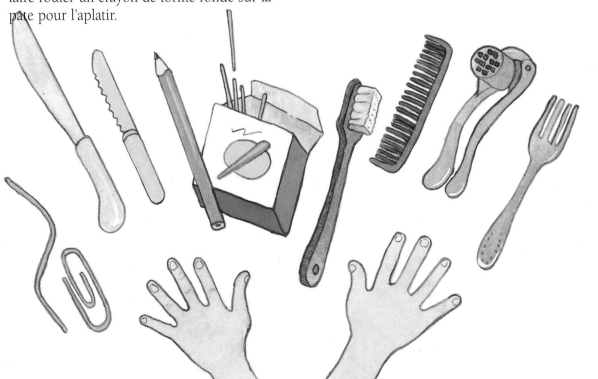

Formes de base

Toutes les œuvres en pâte à modeler sont créées à partir de petits morceaux informes. Essaie de reproduire les formes de base décrites plus bas. Cela te donnera un aperçu de ce qu'il est possible de faire avec la pâte à modeler. Tu peux combiner ces formes pour créer pratiquement n'importe quoi. Bien sûr, il existe beaucoup d'autres formes, mais celles-ci constituent un bon début.

Commence d'abord par rouler et pétrir un petit morceau de pâte à modeler pendant quelques minutes pour la réchauffer et la rendre lisse et molle.

OEUF

Commence avec une boule ronde. Roule-la doucement de haut en bas entre tes paumes. Quand tu auras obtenu une forme ovale allongée, arrondis les extrémités avec tes doigts pour modeler un œuf bien lisse.

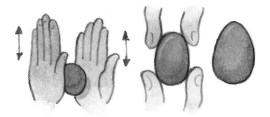

CRÊPE

Tu peux façonner une crêpe à partir d'une boule. Tu n'as qu'à l'aplatir entre ton pouce et ton index. Si le pourtour est craquelé, lisse les fissures avec tes doigts. Essaie de fabriquer des crêpes de tailles et d'épaisseurs variées.

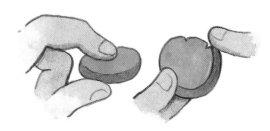

BOULE

Façonne une boule grossière avec tes doigts, puis roule-la dans tous les sens entre tes paumes. Plus tu la roules, plus elle deviendra lisse. Essaie de former des boules de différentes grosseurs.

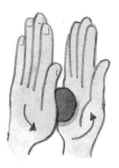

GOUTTE

Pince le côté d'une boule entre tes doigts pour former une pointe. Fais tourner la boule sur elle-même en continuant à presser la pointe jusqu'à ce que la forme obtenue ressemble à une grosse goutte d'eau.

CÔNE

Écrase la plus grosse extrémité de la goutte sur ta planche jusqu'à ce que la base soit plate. Lisse les côtés afin d'obtenir un cône symétrique.

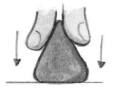

SERPENT

Pour modeler cette forme très utile, tu n'as qu'à faire rouler un morceau de pâte à modeler sur la planche dans un mouvement de va-et-vient jusqu'à l'obtention d'une forme fine et allongée. Plus tu le roules, plus le serpent s'allonge et s'amincit.

SAUCISSE

Façonne un serpent court et épais, et voilà : c'est aussi une saucisse!

CYLINDRE

Pour fabriquer un cylindre, coupe les deux bouts d'une saucisse à l'aide d'un couteau. Tu peux aussi presser les deux extrémités de la saucisse contre la planche pour les aplatir.

BOÎTE

Couche un cylindre sur la planche et écrase-le légèrement avec une autre planche ou un objet plat. Tourne-le de façon à ce que la partie plate soit à angle droit avec la planche, puis écrase-le de nouveau. Tu devrais maintenant avoir quatre côtés plats. Mets la boîte debout et appuie encore dessus. Tourne-la en appuyant sur toutes ses faces pour modifier sa hauteur.

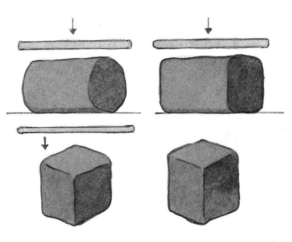

RUBAN

Façonne un serpent de la dimension d'un crayon. Couche-le sur la planche et fais rouler un crayon dessus d'un bout à l'autre en appuyant. Décolle soigneusement le ruban de la planche (attention de ne pas faire un ruban trop mince).

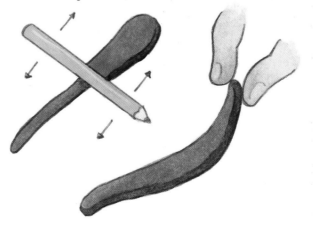

ANIMAUX

Commence par de simples formes d'animaux et tu te retrouveras très vite avec toute une ménagerie. Quand tu dois coller deux morceaux ensemble, comme une patte et un corps, souviens-toi d'appuyer fermement afin qu'ils ne se détachent pas par la suite.

Serpents et insectes

Métamorphose de simples formes en serpents et en bestioles rampantes.

SERPENT

1 Façonne un serpent, puis fais rouler une des extrémités pour former une queue effilée.

2 Pour fabriquer la langue, fais un plus petit serpent que tu plieras en deux en laissant les deux bouts écartés. Comprime la partie pliée et fais-la rouler jusqu'à ce qu'elle soit lisse.

3 Colle la langue sous la tête du serpent. Fabrique deux petites boules pour les yeux et enfonce-les sur la tête. Dessine une bouche à l'aide de la pointe d'un crayon.

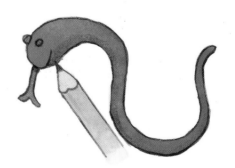

4 Décore ton serpent en y collant de petites boules aplaties, puis enroule-le sur lui-même ou place-le dans la position de ton choix.

ARAIGNÉE

1 Pour fabriquer une araignée, écrase légèrement une boule de pâte à modeler sur la planche pour avoir une base plate. Colle une plus petite boule pour faire la tête et ajoutes-y des yeux.

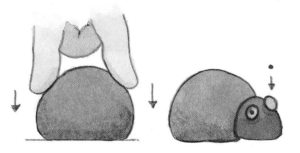

2 Confectionne huit serpents minces qui serviront de pattes. Colle-les sous le corps de l'araignée.

COCCINELLE

1 Colle l'un à l'autre deux œufs de pâte à modeler de même dimension. Comprime-les ensemble aux deux extrémités.

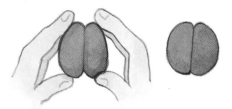

2 Écrase légèrement cette carapace sur la planche pour aplatir la base. Ajoute une tête et des yeux. Colle six petits serpents à la carapace pour faire les pattes et deux sur la tête en guise d'antennes. Termine en collant de petites boules aplaties sur la carapace.

AUTRES SUGGESTIONS

• Invente toutes sortes de bestioles étranges à pois ou à rayures et donne-leur différentes formes. Tu peux même leur ajouter des ailes!

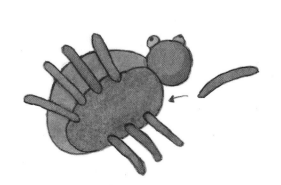

Lézards bizarres

Qu'ils soient pourvus d'une carapace ou d'écailles, que leur peau soit glissante ou couverte d'épines, les reptiles sont très amusants à façonner.

TORTUE

1 Pour fabriquer une tortue, commence par une crêpe épaisse qui sera la base de la carapace. Ajoutes-y quatre saucisses en guise de pattes, une grosse saucisse pour la tête et une petite pour la queue.

2 Façonne une crêpe un peu plus grande pour le dessus de la carapace. Colle-la sur la base de façon à ce qu'elle soit légèrement arrondie.

3 À l'aide d'un crayon bien aiguisé, dessine les yeux et ajoute de la texture à la carapace.

CROCODILE

1 Commence avec un serpent à la queue pointue. Puis, avec un couteau ou un fil de fer, fais une incision dans la tête (environ un tiers de la longueur totale du serpent).

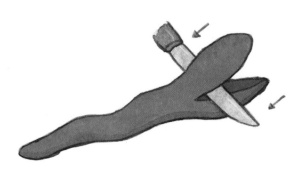

2 Enfonce deux petites boules au bout du museau, puis marque l'emplacement des narines à l'aide d'un crayon pointu. Utilise deux boules plus grosses pour faire les yeux. Pour les dents, sers-toi de cônes incurvés que tu ajouteras en commençant à la base de la gueule.

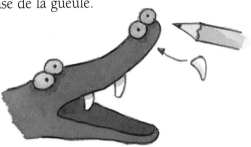

5 À l'aide de la pointe d'un crayon, trace des lignes sinueuses le long du dos de ton crocodile pour obtenir une texture différente.

3 Colle quatre saucisses au corps pour les pattes, auxquelles tu ajouteras des griffes. Plie le corps et la queue du crocodile pour lui donner la position de ton choix.

AUTRES SUGGESTIONS

• Combine les écailles et les épines avec d'autres formes de têtes et de queues pour inventer une foule de reptiles différents.

4 Pour fabriquer les écailles, colle une rangée de petites crêpes au bout de la queue. Ajoute une autre rangée de façon à ce qu'elle chevauche légèrement la première. Continue ainsi jusqu'à ce que la partie voulue soit couverte d'écailles.

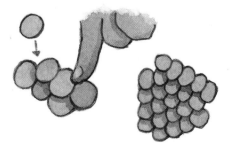

Drôles de moineaux

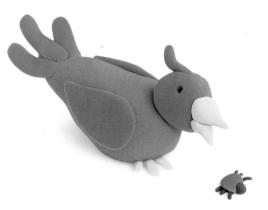

Façonne d'abord une forme d'oiseau simple à laquelle tu ajouteras différents types de plumes, d'ailes, de queues et de becs pour créer toute une volée de fabuleuses créatures ailées.

OISEAU ORDINAIRE

1 Pour fabriquer le corps de l'oiseau, écrase une goutte sur la planche pour aplatir la base. Incline-la pour faire en sorte que le bout pointu (la queue) soit relevé. Ajoute une boule pour la tête.

2 Écrase deux plus petites gouttes et colle-les de chaque côté du corps de l'oiseau en guise d'ailes.

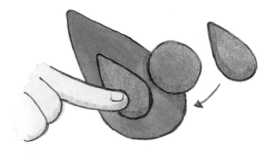

3 Colle un cône à la tête pour faire le bec. Celui-ci peut être court ou long, épais ou mince, courbé ou droit. Ajoute les yeux avec la pointe d'un crayon.

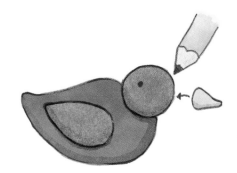

4 Aplatis quelques petites saucisses que tu colleras à la queue pour obtenir de jolies plumes. Termine avec deux petites boules pour les pattes.

CANARD

1 Transforme ta forme d'oiseau en canard en comprimant deux ovales aplatis ensemble et en les collant à la tête pour obtenir un bec de canard.

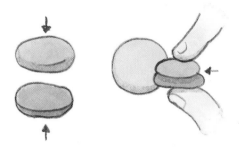

2 Fabrique des pattes palmées à partir de deux triangles aplatis. N'oublie pas de recourber la queue du canard.

OIE

Pour métamorphoser ton canard en oie, ajoute-lui un long cou. Pour cela, il te faut un serpent court assez épais pour soutenir la tête.

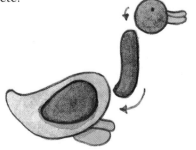

CYGNE

Les cygnes ont un long cou incurvé et un petit bec. Leurs grandes ailes pointent vers le haut, au-dessus de leur dos.

AUTRES SUGGESTIONS

• Invente des oiseaux fantastiques en décorant leur queue de plumes extravagantes, ou leur tête d'aigrettes colorées.

• Tu peux créer une mare aux canards en enlevant les pattes de tes canards et en les déposant sur un miroir.

Séance de pose

Tu peux commencer par un chat

en position assise, puis passer

à d'autres animaux.

C H A T

1 Presse la plus grosse extrémité d'un œuf contre la planche afin qu'il se tienne debout seul.

2 Colle une crêpe de chaque côté de l'œuf pour former les pattes de derrière.

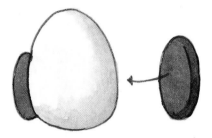

3 Complète les pattes en ajoutant une petite saucisse à la base de chaque crêpe, puis en collant deux saucisses plus longues à l'avant du corps (aux trois quarts de la hauteur de l'œuf environ).

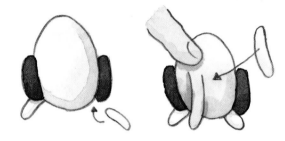

4 Place une boule au sommet de l'œuf en guise de tête. Enfonce deux petites gouttes de chaque côté de la tête pour faire les oreilles.

5 Deux petites crêpes collées côte à côte sur le devant de la boule serviront de museau. Ajoute une petite boule pour le menton et une autre pour le nez.

6 Fais les yeux à l'aide de deux ovales sur lesquels tu traceras au crayon une ligne verticale pour obtenir des pupilles. Dessine ensuite des moustaches.

7 Fais une queue à partir d'un serpent. Tu peux ajouter une langue à ton chat ou tourner sa tête de côté. Tu peux aussi lui donner un pelage rayé en collant de minces serpents sur son dos.

LION

À quoi ressemblerait ton chat si tu lui ajoutais une crinière et une touffe de poils au bout de la queue?

SOURIS

Pour changer ton chat en souris, prends une goutte pour faire sa tête et ajoute un nez rond à l'extrémité. Deux crêpes serviront d'oreilles et deux petits serpents, de pattes de devant. Dessine-lui des yeux et des moustaches.

AUTRES ANIMAUX

Amuse-toi à combiner différentes formes de têtes et de queues pour obtenir un lapin, un écureuil, un castor ou un kangourou.

Bêtes à quatre pattes

À partir d'une saucisse trapue,

fais un teckel, puis façonne d'autres

animaux à quatre pattes.

CHIEN

1 Pour le corps et les pattes, coupe un long serpent en quatre parties égales que tu colleras à une grosse saucisse. Couche le corps sur la planche pour y fixer les pattes.

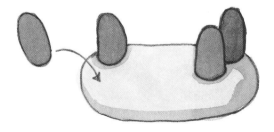

2 Retourne-le et appuie légèrement pour égaliser la hauteur des pattes (fais-le bouger d'un côté et de l'autre jusqu'à ce que ce soit solide). Ajoute une petite saucisse en guise de queue.

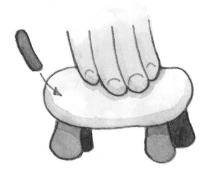

3 Fais la tête en collant une petite boule à l'autre bout. Ajoutes-y un cylindre épais pour former le museau.

4 Fais une incision au centre du museau à l'aide d'un fil de fer ou d'un couteau. Ouvre délicatement la gueule avec tes doigts. Pour faire le nez et la langue, ajoute une petite boule et une petite saucisse.

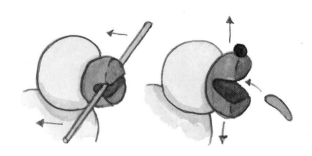

5 Deux triangles aplatis collés de chaque côté de la tête serviront d'oreilles. Complète ton chien en lui faisant des yeux avec deux petites boules marquées d'un point au crayon.

6 En transformant le corps, les oreilles, la queue et le museau, tu obtiendras différentes races de chiens. Couvre-les de petites crêpes pour leur donner un pelage tacheté ou dessine leur fourrure avec un crayon.

RENARD

Avec une tête en forme de goutte, des cônes pour les oreilles et une grosse goutte trapue en guise de queue, ton chien deviendra un renard.

RATON LAVEUR

1 Façonne un corps court et épais auquel tu ajouteras une tête et des oreilles pointues. Fais un masque avec deux crêpes de couleur foncée sur lesquelles tu colleras deux petites boules pour les yeux.

2 Fabrique une queue rayée en alternant des crêpes de deux couleurs collées bout à bout. Termine avec un cône et comprime bien toutes les couches.

3 Lisse la queue en la faisant rouler sur la planche. Pince l'extrémité avec tes doigts pour obtenir une grosse queue touffue, puis fixe-la au corps de l'animal.

Zoom sur le zoo

Donne libre cours à ton imagination

et invente toutes sortes d'animaux.

N'oublie pas que plus le corps est gros,

plus les pattes doivent être robustes.

OURS

1 Ajoute quatre courtes pattes cylindriques à un œuf, puis colle une petite saucisse et une boule à chacune des extrémités pour la queue et la tête.

2 Fais un museau comme celui du chien (voir étape 3, page 16). Utilise deux moitiés de crêpes pour faire les oreilles et trace les yeux avec la pointe d'un crayon.

COCHON

1 Colle quatre saucisses courtes à un gros œuf. Fais ensuite une queue en tire-bouchon à partir d'un serpent. Ajoute deux petites boules pour les yeux et un cylindre court percé de deux trous pour le museau.

2 Façonne chaque oreille en pinçant un côté d'une petite crêpe entre tes doigts et en la fixant à la tête (tu peux utiliser un crayon pour la rentrer dans la tête).

ÉLÉPHANT

1 Ajoute quatre grosses pattes cylindriques à un gros œuf. Pour fabriquer la tête et la trompe, prends une boule dont tu pinceras une partie entre tes doigts.

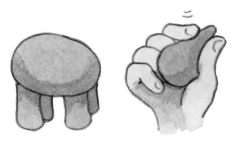

2 Étire et fais rouler la trompe jusqu'à ce qu'elle soit de la longueur voulue. Perce des narines au bout. Fixe la tête au corps de l'éléphant. Ajoute deux grosses crêpes en guise d'oreilles, puis deux défenses et une minuscule queue.

CHEVAL, ZÈBRE, GIRAFE

Les pattes des chevaux, des zèbres et des girafes sont longues et minces. Pour les faire tenir debout, fais la base des pattes plus large ou colle les pattes de devant et de derrière ensemble.

PHOQUE

1 Façonne une grosse goutte et pince la partie arrondie pour la rendre pointue. Recourbe une des extrémités vers le haut et vers l'avant de façon à former un **S**. À l'aide d'un couteau ou d'un fil de fer, fais une incision dans la queue pour obtenir deux nageoires.

2 Écarte les nageoires et aplatis-les. Ajoute des nageoires en forme de triangle de chaque côté (là où le corps se courbe). Leur pointe devrait toucher la planche.

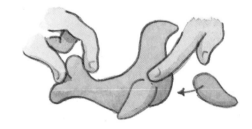

3 Découpe l'autre extrémité pour former la bouche. Ouvre-la et ajoute une petite boule pour le nez. Termine en traçant deux yeux avec un crayon.

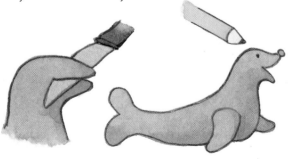

PERSONNAGES

Comme les personnages de pâte à modeler n'ont que deux jambes, il n'est pas facile de les faire tenir debout. Tu peux surmonter ce problème en leur faisant des jambes épaisses et de gros pieds. Tu peux aussi insérer un morceau de cure-dents à l'intérieur des jambes pour les solidifier, ou appuyer tes personnages contre des chaises ou d'autres objets.

Des pieds à la tête

Tes personnages peuvent être très simples ou très détaillés. Commence par deux figures simples : un bonhomme de neige et un robot. Passe ensuite à des personnages plus complexes.

BONHOMME DE NEIGE

Fais ton bonhomme de neige comme si c'était un vrai, en lui ajoutant des cure-dents pour les bras, un ruban de pâte à modeler pour le foulard et une carotte de pâte à modeler pour le nez. Un cylindre collé sur une crêpe servira de chapeau.

ROBOT

Pour fabriquer le corps et la tête, pose une petite boîte sur une grosse et ajoute quatre cylindres pour les membres. Simule la présence de boulons en perçant de petits trous ou en collant de minuscules boules.

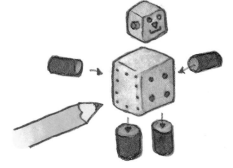

PERSONNAGE

1 Commence par un cylindre court et trapu pour former le tronc. Aplatis-le légèrement de façon à avoir un devant et un derrière.

2 Façonne un serpent, puis plie-le en deux. Colle la partie pliée au cylindre pour obtenir des jambes. Recourbe le bout des jambes pour représenter les pieds.

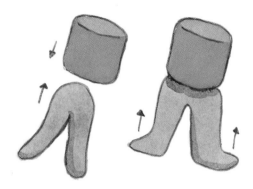

3 Mets ton personnage debout en appuyant ses jambes contre la planche. S'il vacille, essaie d'épaissir ou de raccourcir ses jambes, ou encore de les coller ensemble.

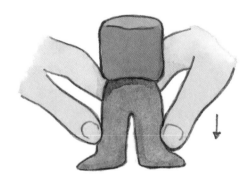

4 Fixe deux saucisses aux épaules en guise de bras. Une boule placée au sommet du cylindre servira de tête.

5 Pour les mains, prends une petite boule dont tu pinceras et rouleras une partie entre tes doigts de façon à former un pouce. Aplatis le reste de la main en forme de crêpe et replie le pouce le long de la paume.

6 Colle ces « mitaines » au bout de chaque bras. Tu peux découper les doigts avec un couteau.

7 Complète le visage en dessinant les yeux avec la pointe d'un crayon, et la bouche avec l'empreinte de ton ongle. Termine avec une petite boule pour le nez.

Bal costumé

Les personnages peuvent être de diverses formes ou grandeurs, et leurs vêtements peuvent modifier leur apparence. Voici quelques suggestions de costumes pour ton personnage réalisé en page 21.

JUPE

Façonne une jupe à partir d'une goutte ou d'un œuf. Une longue jupe peut remplacer les jambes et t'aider à faire tenir ton personnage debout.

JUPE COURTE

Prends une grosse crêpe mince et modèle-la autour de ton doigt. Insère les jambes à l'intérieur. Cette forme peut aussi servir de chapeau ou de cape.

TUTU

Colle une crêpe épaisse au tronc avant d'ajouter les jambes. Représente les fronces en pressant un fil de fer sur le pourtour.

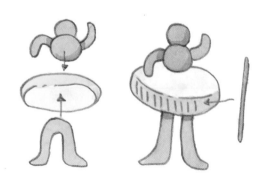

SHORT

Plie un serpent court en deux, aplatis les extrémités, puis colles-y les jambes.

CHAUSSURES

Tes personnages peuvent porter aussi bien des bottes que des palmes triangulaires. Les lutins peuvent avoir des pantoufles aux bouts recourbés, ornées d'une clochette.

FOULARD ET COL

Enroule un serpent ou un ruban autour du cou de ton personnage en guise de foulard, ou place une crêpe entre sa tête et son corps pour simuler un col.

CHAPEAUX

Assemble des cônes, des cylindres, des crêpes et des œufs pour créer différents chapeaux.

DERNIÈRES TOUCHES

N'oublie pas les boutons, les boucles et les ceintures. Tu peux aussi coller des petits pois ou dessiner des rayures et des carreaux avec un crayon.

AUTRES SUGGESTIONS

• Amuse-toi à modeler des clowns. Ils ont des formes et des vêtements intéressants. Essaie aussi de reproduire tes personnages préférés (sorcières, Vikings, joueurs de hockey, princesses).

Face à face

Voici quelques suggestions pour donner à un visage un air distinctif, sinistre ou ridicule. Commence avec le visage que tu as fait à la page 21.

OREILLES

Recourbe une petite saucisse de façon à former un **C**. Colle-le à la tête. Pourquoi ne pas faire un extraterrestre aux oreilles pointues? Fais des expériences.

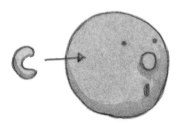

BOUCHE

Utilise de minces serpents pour faire les lèvres. La bouche peut avoir toutes sortes d'expressions. Ajoute des crocs pointus pour obtenir un vampire.

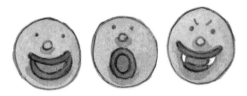

BOUCHE OUVERTE

Pratique une incision dans la tête avec un couteau. Découpe une tranche pour ouvrir la bouche. Plus l'entaille est profonde, plus la bouche est grande. Une saucisse aplatie peut servir de langue.

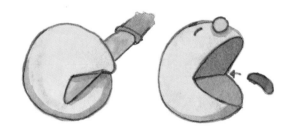

NEZ

Enfonce un cône dans la tête en guise de nez et perce des narines avec un crayon. Amuse-toi à modeler des nez longs, gros, crochus, retroussés.

YEUX

Pour faire de grands yeux, prends une petite boule et ajoute-lui une pupille à l'aide d'un crayon ou d'une boule plus petite. Ajoute des cils et des sourcils. Les yeux peuvent regarder dans différentes directions.

COU ET TÊTE

Des œufs, des boules, des gouttes ou d'autres formes peuvent servir de têtes. Utilise un cylindre pour le cou.

JOUES

Ajoute de petites crêpes aplaties pour représenter les joues. Tu peux aussi faire des taches de rousseur avec de toutes petites crêpes.

COIFFURES

• Recouvre la tête d'une grosse crêpe mince. Ajoute des saucisses pour les couettes.

• Colle de longs serpents minces sur la tête. Tu peux aussi les tresser.

• Fais des cheveux frisés à partir de serpents enroulés, de cylindres ou de petites boules.

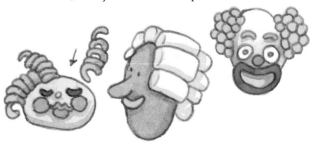

• Invente tes propres coiffures.

Assoyez-vous

Les personnages de pâte à modeler

doivent parfois s'asseoir ou faire

une sieste. Souviens-toi que les pieds

des meubles doivent être assez robustes

pour les soutenir.

TABOURET

Colle trois saucisses à une crêpe. Retourne le tout et appuie doucement jusqu'à ce que ton tabouret soit bien d'aplomb.

TABLES

Fixe de plus longues saucisses à une crêpe pour transformer ton tabouret en table. Tu peux aussi faire quatre pattes ou utiliser une goutte pour la base.

CHAISE

Aplatis un œuf pour en faire une crêpe que tu plieras en deux. Ajoute des pattes comme pour le tabouret.

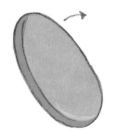

CHAISE DE CUISINE

Colle les deux extrémités d'un serpent recourbé à un tabouret. Complète le dossier en ajoutant un serpent au centre. Assure-toi que le siège et les pattes sont plus lourds que le dossier pour éviter que ta chaise ne bascule.

FAUTEUIL

Fabrique un fauteuil confortable en collant, l'une à l'autre, deux boîtes plates. Utilise une crêpe épaisse pour le dossier et joins-le au siège à l'aide de deux accoudoirs cylindriques.

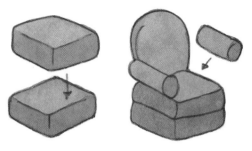

SOFA

Un fauteuil deux fois plus large deviendra un sofa. Ajoute-lui des coussins et des boutons si tu le désires.

LIT

Façonne une boîte rectangulaire aux coins de laquelle tu peux coller des saucisses surmontées d'une boule en guise de colonnes. Ajoute des oreillers.

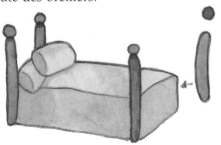

LAMPES

Écrase une boule sur ton doigt pour former un abat-jour. Égalise-le bien en pinçant tout le pourtour. Dépose-le sur une base de lampe. Reproduis toutes sortes de bases et d'abat-jour.

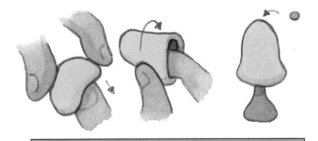

AUTRES SUGGESTIONS

• Fabrique des objets que tu déposeras sur ta table. Tu peux façonner une assiette en enroulant un serpent autour d'une crêpe.

• Écrase une boule sur ton doigt et égalise-la pour en faire un bol ou un verre. Ajoute-lui une saucisse recourbée en guise d'anse et tu obtiendras une tasse.

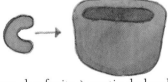

• Façonne des fruits à partir de boules ou de saucisses. Quels autres aliments pourrais-tu reproduire?

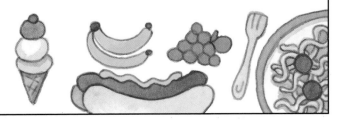

En voiture!

D'un morceau informe de pâte à modeler peut surgir toute une collection de bolides et d'engins à roues ou à hélices.

TRAÎNEAU

Recourbe l'extrémité d'un large ruban pour en faire un traîneau… ou un tapis magique!

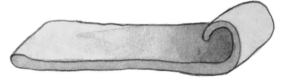

PLANCHE À ROULETTES

Aplatis une saucisse, pince-la à l'avant pour en arrondir le bout et pose-la sur deux cylindres qui serviront de roues. Recourbe la partie arrière, et c'est un départ!

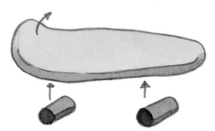

AUTOMOBILE

1 Pour faire la carrosserie, prends une longue boîte rectangulaire au centre de laquelle tu placeras une plus petite.

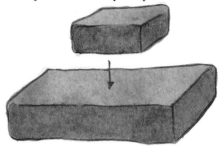

2 Colle quatre crêpes aux côtés en guise de roues. Fixe la moitié supérieure des roues à la carrosserie, en laissant la moitié inférieure dépasser vers le bas pour soutenir la voiture.

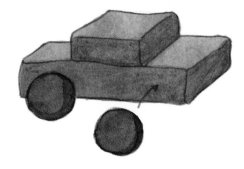

3 Ajoute des phares, des pare-chocs et des enjoliveurs faits à partir de crêpes et de serpents.

MODÈLES HORS SÉRIE

Varie les types de carrosserie pour représenter tes autos préférées. Change la grosseur des roues, ajoute des bandes de couleur et des accessoires, reproduis une voiture ancienne ou invente un modèle futuriste.

AUTRES SUGGESTIONS

• Combine des formes de base pour fabriquer des trains, des avions, des autobus et toutes sortes de véhicules.

DÉCAPOTABLE

1 Prends une longue boîte, et à l'aide d'un trombone déplié, évide l'intérieur de la voiture. Une crêpe placée à l'avant servira de volant.

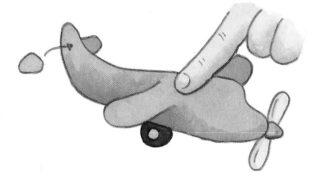

2 Ajoute un pare-brise et d'autres détails. Façonne des personnages sans jambes et place-les dans la voiture.

TABLEAUX

Tu peux créer n'importe quelle scène avec de la pâte à modeler. Dessine d'abord un plan sur du papier. Superpose ensuite des couches de pâte à modeler sur un morceau de carton rigide, en commençant par placer à l'arrière-plan les éléments les plus éloignés.

Détermine la couleur du ciel. Étends un petit morceau de pâte à modeler ramollie sur le carton. Ajoute des morceaux jusqu'à ce que la partie du ciel sait couvert d'une mince couche unie (prolonge le ciel un peu plus bas que nécessaire).

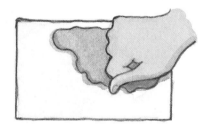

Indique la ligne d'horizon près du bord inférieur du ciel. Colle un ruban de pâte à modeler verte le long de cette ligne. Lisse-le et remplis le reste du sol avec de la pâte à modeler de même couleur.

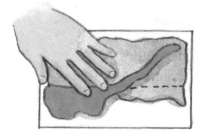

Paysages

Commence par décider où se trouvera la ligne d'horizon, l'endroit où le ciel et la terre se rencontrent.

Afin de simuler le gazon, trace de courtes lignes avec une fourchette ou ton ongle sur un fond de couleur verte.

Pour le soleil, colle une crêpe orange ou jaune entourée de triangles ou de minces serpents en guise de rayons. Tu peux même lui façonner un visage.

Superpose des crêpes de diverses grosseurs pour obtenir un nuage duveteux.

Si tu souhaites un temps pluvieux, écrase quelques gouttes sous le nuage. Tu peux ajouter un ruban en zigzag en guise d'éclair.

Le sable peut être reproduit en parsemant une surface beige de petits trous, à l'aide de la pointe d'un crayon.

Tu veux qu'il y ait de l'eau? Trace des lignes ondulées sur un fond bleu ou colles-y des serpents courbés pour représenter les vagues.

Mise en scène

Une fois que tu as placé le ciel et la terre en arrière-plan, tu peux ajouter d'autres détails. Voici quelques suggestions qui t'aideront à peupler ton tableau de personnages et de plantes.

1 Façonne des brins d'herbe à partir de minces serpents ou rubans et applique-les en les superposant.

2 Place une tige sous une crêpe pour représenter des arbres au loin. Parsème le sol de fleurs en collant de petites boules de diverses couleurs.

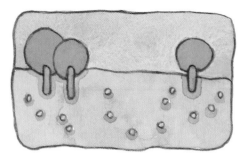

3 Si tu désires un arbre plus détaillé, façonne un tronc à partir d'un ruban et ajoute-lui des serpents et des saucisses en guise de branches et de racines. Donne de la texture à l'écorce avec des stries et des bosses. Complète l'arbre avec des feuilles et des fruits.

4 Tu peux obtenir un sapin en faisant se chevaucher des triangles de bas en haut au-dessus d'un tronc. Trace de petites lignes à la base des triangles pour simuler les aiguilles.

5 Pour représenter une fleur, fais d'abord une tige à partir d'un serpent et ajoute-lui des feuilles plates et effilées. Surmonte le tout de crêpes ou de serpents enroulés au centre desquels tu colleras une petite crêpe.

6 En te servant de petites saucisses aplaties pour faire les pétales, tu obtiendras une fleur plus détaillée. Si tu veux, dessine des nervures sur les feuilles.

7 Quand tu ajoutes des personnages au tableau, assure-toi qu'ils sont de la bonne taille et dessine-les d'abord sur le fond avec un crayon.

8 Dans les tableaux, les personnages sont presque les mêmes que ceux en trois dimensions (voir page 20), sauf que les formes de base sont plates (les boules deviennent des crêpes, par exemple).

AUTRES SUGGESTIONS

• Tu n'as pas toujours besoin d'inclure le ciel et la terre. Laisse-toi emporter par ton imagination vers des endroits inattendus. Parsème un fond sous-marin de poissons, de roches, d'algues et même de sirènes.

• Pars à la conquête de l'espace! Remplis ton tableau de planètes, d'étoiles, d'astronautes ou d'extraterrestres.

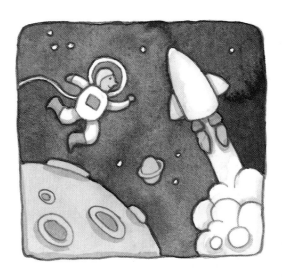

Bâtiments

À l'aide de planches et de briques de pâte à modeler, construis une niche, une maison ou même une remise.

1 Trace le contour de ta maison sur ton arrière-plan. Choisis une couleur et applique des rubans sur les contours avant de remplir l'intérieur.

2 Découpe un ruban en morceaux. Sers-toi de ces briques pour recouvrir ta maison. Tu peux aussi utiliser des crêpes pour simuler les murs de pierre d'une maison ou d'un château.

3 Si tu préfères des murs en bois, applique des rubans en les faisant se chevaucher de bas en haut. À l'aide d'un crayon, marque l'emplacement des joints et des clous.

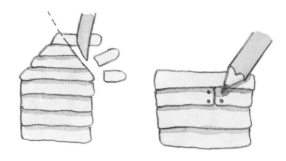

4 Surmonte ta maison d'un toit en bardeaux faits à partir d'un ruban découpé. Commence en bas et remonte progressivement.

5 Pour faire un toit de chaume, simule la paille en traçant des lignes avec une fourchette, ou superpose de minces serpents.

6 Les portes peuvent être façonnées séparément et collées au tableau. Tu peux aussi dessiner leurs contours avant de les remplir. Sers-toi de rubans alignés pour faire une porte de bois. Une petite boule peut servir de poignée.

7 Crée des fenêtres de diverses formes et grandeurs. Entrecroise de minces serpents pour simuler les carreaux, et utilise des rubans plats pour les rebords. Pourquoi ne pas ajouter une jardinière?

8 Tu peux même construire un igloo. Fais rouler un crayon sur un morceau de pâte pour l'aplatir (assure-toi qu'elle ne colle pas à la planche), découpe des blocs de neige et assemble-les.

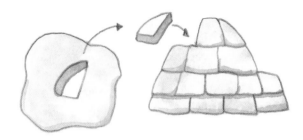

9 Combine différentes formes et textures pour construire toutes sortes de bâtiments. Tu peux les laisser tels quels ou les agrémenter d'éléments décoratifs.

Faites comme chez vous!

Un tableau peut aussi représenter l'intérieur d'une maison. Voici quelques trucs pour t'aider à reproduire une pièce.

Choisis la couleur des murs et recouvre le fond du tableau avec de la pâte à modeler de cette couleur.

Donne l'illusion du papier peint en collant ici et là des rayures, des pois ou des petites fleurs.

Pour un sol à carreaux, découpe deux rubans de différentes couleurs en carrés et fais-les alterner. Tu peux aussi pétrir deux morceaux pour obtenir un bloc de couleur marbrée que tu étendras sur la partie inférieure du tableau.

Décore les murs avec des tableaux ou une horloge (tu peux en fabriquer une en collant des petites boules et des serpents sur une crêpe).

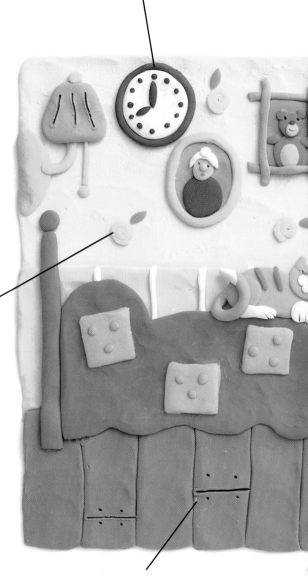

Ton plancher peut aussi être en bois. Place des rubans plats côte à côte et indique l'emplacement des clous avec un crayon.

Dessine une fenêtre sur le mur et racle la pâte à modeler à l'intérieur du contour. Remplis cet espace avec un paysage qu'on peut voir de la fenêtre. Termine avec des rideaux ou un store.

Sers-toi de diverses formes pour fabriquer des meubles (voir pages 26 et 27).

Enroule des serpents de différentes couleurs pour obtenir un petit tapis.

AUTRES SUGGESTIONS

• Transforme un tableau en décor et peuple-le de personnages en trois dimensions. Pour ce faire, prends une boîte à chaussures dont tu enlèveras un des longs côtés. Découpe ensuite un triangle à chaque bout.

• Façonne un arrière-plan en pâte à modeler dans le fond de la boîte. Mets la boîte debout et recouvre le côté le plus long de pâte à modeler pour simuler de l'herbe ou un plancher.

• Place tes personnages dans le décor. Tu peux même confectionner d'autres arrière-plans de la même taille et les insérer au fond de la boîte pour changer le décor.

Trois dimensions

En les recouvrant de pâte à modeler, tu peux transformer des contenants ou des emballages vides en maisons, en châteaux ou en fusées. Assure-toi que la pâte à modeler adhère bien aux contenants que tu as choisis.

1 Il te faut d'abord une base de carton. Un couvercle de boîte est idéal, car il permet de garder les objets à l'intérieur du décor.

2 Trouve de petites boîtes rondes ou carrées, des pots de yogourt, des bouchons de bouteilles ou tout autre objet qui a la forme désirée.

3 Un carton à lait a un peu la forme d'une maison. Remplis-le de papier journal chiffonné pour le solidifier. Découpe ensuite l'arête supérieure et referme l'ouverture avec du ruban adhésif.

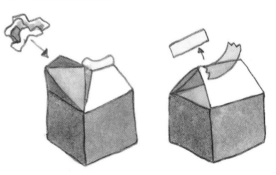

4 Mets tous les objets en position sur la base de carton et colle-les avec du ruban adhésif (fais-le avant d'ajouter la pâte à modeler, car l'huile qu'elle contient empêcherait le ruban de coller).

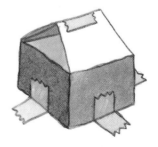

5 Étends ensuite soigneusement une couche de pâte à modeler ramollie sur chacun des objets.

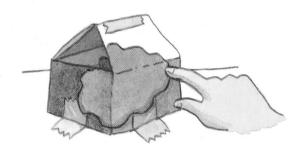

6 Une fois qu'ils sont tous recouverts, ajoute-leur des planches, des bardeaux, des fenêtres, une cheminée et d'autres détails (voir pages 34 et 35).

7 Recouvre la base de pâte à modeler et termine en ajoutant de la texture et des objets pour compléter la scène.

AUTRES SUGGESTIONS

Déniche des objets de formes variées pour créer une ville, des bâtiments de ferme, des rampes de lancement de fusées, des repaires de dinosaures… Les possibilités sont illimitées!

Idées supplémentaires

Maintenant que tu as une bonne idée de ce qu'on peut réaliser en pâte à modeler, invente tes propres créatures et engins. Voici quelques idées pour t'inspirer.